¿Qué es la depresión?

Guía para pacientes y familiares

Dra. Mirta Sofía Zon

LUMEN
Grupo Editorial LUMEN
Buenos Aires - México

Zon, Mirta
¿Qué es la depresión? : guía para pacientes y familiares.
- 1.ª ed. Buenos Aires : Lumen, 2009.
112 p. : il. ; 18x13 cm.

ISBN 978-987-00-0835-4

1. Psicología. 2. Depresión. I. Título
CDD 615.851

© Editorial y Distribuidora Lumen SRL, 2009.

Grupo Editorial Lumen
Viamonte 1674, (C1055ABF) Buenos Aires, República Argentina
Tel.: 4373-1414 (líneas rotativas) • Fax (54-11) 4375-0453
E-mail: editorial@lumen.com.ar
http://www.lumen.com.ar

Dedicatoria

A mis padres,

a Mario,

a mi querido hijo Miguel.

Agradezco la corrección literaria de la Dra. M. Teresa Sanseau, a todos los colegas, amigos y familiares que leyeron el manuscrito y realizaron valiosas críticas.

Mirta

Índice

Presentación

E l objetivo de este material educativo sobre depresión es ser de utilidad para los pacientes, familiares y amigos. Lo elaboré a partir de mi experiencia de años en la profesión y, por eso mismo, tiene un valor práctico directo. Traté de recoger aquí las preguntas que más angustian, los miedos que más acosan y las dudas más recurrentes con las que cada paciente depresivo ha llegado a mi consultorio. También respondo a las inquietudes de la familia o las personas cercanas a quien sufre una depresión, para aconsejar cómo acompañar y afrontar tal situación.

Por estas razones, estas páginas que siguen deben servir sobre todo como una guía. Es decir, una manera de transitar un camino complicado, que afecta a muchos, pero posible de llevar a buen puerto.

También he clasificado, de forma accesible y sin lenguajes técnicos, pero recurriendo a fuentes autorizadas, las formas en que la depresión se manifiesta hoy en día, sus síntomas más comunes y los malestares más frecuentes.

Esta guía no pretende reemplazar al diagnóstico profesional. Es más bien un complemento de la ayuda médica, una manera para que el paciente pueda informarse y perder el miedo a su enfermedad. Y, al mismo tiempo, comprender exhaustivamente la importancia de seguir las recomendaciones pertinentes para cada tipo de terapia.

Explico aquí, en particular, una forma de abordaje terapéutico específico para la depresión, que es a la cual me dedico desde hace años y de la cual poco se sabe. Me refiero a la terapia cognitiva, un modo de trabajo sobre los pensamientos o las cogniciones que hacen sufrir al depresivo. El propósito es trabajar y cambiar algunos "pensamientos automáticos" que se nos fijan como verdaderos mitos internos y que se cristalizan como una forma negativa de ver la realidad y relacionarnos con nosotros mismos. El objeto de la terapia cognitiva es detectar tales pensamientos para luego desmoronarlos intelectualmente.

I

¿Qué es la depresión?
¿Cómo detectar su presencia?

La depresión aparece como un sentimiento de tristeza exagerado, y marca una baja en el ánimo respecto de un estado de ánimo anterior. Se manifiesta en la pérdida de interés o placer por casi todas las cosas. Es un sentimiento triste, poco precisable.

Irrumpe en la vida cotidiana en la forma de:

- abatimiento,
- desesperación,
- desánimo.

Se vuelve una tristeza persistente, incontrolable e inconsolable. Sin embargo, se debe reconocer que la depresión es una **enfermedad**.

Y, como tal, está considerada por la Organización Mundial de la Salud (OMS) como una prioridad en salud pública.

La depresión representa un sufrimiento y un malestar que vuelven extremadamente difíciles las actividades de la vida de todos los días e imposibilitan, a quienes la padecen, seguir con sus actividades habituales. Se suele expresar este conjunto de malestares de manera directa:

"Estoy deprimido."

Otras veces aparece como una sensación de cansancio que llega hasta las lágrimas:

"No puedo más."

Otra manera en la que se hace presente la depresión es bajo un humor altamente irascible:

- aparecen **súbitos ataques de cólera** con una fuerte tensión y **nerviosismo interior**;
- al mismo tiempo, la sensación es la de una **anestesia afectiva**, es decir, una **indiferencia emocional generalizada**;
- se sufre una verdadera imposibilidad de reír o gozar;
- una incapacidad de sentir placer en situaciones habitualmente agradables.

"No soy capaz de amar. Hasta mis hijos me son indiferentes",

suelen confesar algunos pacientes.

- A veces también se observa una **hipersensibilidad** a cualquier pequeño contratiempo.
- En las mañanas se suelen agravar estas sensaciones. Es famoso el

"No puedo levantarme de la cama."

Es un   signo muy importante: revela un trastorno biológico de una sustancia llamada cortisol, la cual se relaciona con el ritmo que cada uno tiene respecto de la luz del día y de la noche. Esta alteración hace que la persona esté de mucho peor humor por la mañana que por la tarde.

Si pudiéramos graficar una escala de fluctuación del humor entre el bienestar y el malestar, **entre 0 y 10**, encontraríamos que todos los signos de la depresión empujan al 0, es decir, al nivel mayor de displacer. En este sentido, si el humor se define por la fluctuación entre dos polos, uno de bienestar y otro de malestar, la característica de la depresión es un humor fijado en su polo negativo. Esta imagen es útil para la autoevaluación, ya que permite reconocer y conceptualizar los estados de humor.

La depresión puede ser contenida, reprimida o negada por mucho tiempo. Es lo que pasa la mayoría de las veces. En estos casos, sólo una persona cercana puede inferir su presencia.

Quien la sufre puede creer que sólo obedece a que le fue mal en algo o porque no tiene el dinero suficiente para conseguir lo que quiere. Pero éstas son sólo formas de atribuir la depresión a causas externas y a episodios momentáneos. Muchas personas viven varios años deprimidas y empiezan a convencerse de que ese malestar forma parte de su personalidad:

"Soy muy sensible.
Pero siempre fui así.
Las cosas me afectan demasiado",

suele ser la justificación.

Sin embargo, cuando descubren que se trata de una patología, empiezan a comprender la naturaleza de sus estados de ánimo depresivos.

La depresión puede llegar en todas las edades de la vida.

Síntomas psicomotores, físicos y químicos

La depresión tiene sus síntomas:

- psíquicos y
- físicos.

En la expresión general del cuerpo, se advierte una lentitud motora y psíquica global.

La lentitud motora se ve y se vive. Todo parece falto de vitalidad. Se arrastran los pies. La espalda está encorvada y los hombros caídos. Hay poca gesticulación. Las respuestas tardan en llegar y aparecen con voz frágil y muy baja. A quien está deprimido le cansa hablar. Avanza lentamente y emitiendo suspiros. La expresión de la cara es monótona.

Como signos físicos más evidentes, aparecen:

- el agotamiento;
- la fatiga;
- la falta de energía;

- el sueño se convierte en un problema: puede ser por las dificultades para dormir, por despertar en medio de la noche o por dormir demasiado;
- por la pérdida de la libido;
- por la lentitud mental: el pensamiento se vuelve esforzado y pobre.

Las ideas giran alrededor del sufrimiento presente en el que el depresivo se eterniza. Repite y rumia las mismas ideas sin poder salir de allí. Hay un progresivo encierro en las propias preocupaciones. Los sentimientos sobre los que se gira una y otra vez están vinculados a la inferioridad, la impotencia, el fracaso, la pérdida de autoestima, el pesimismo y la desesperanza.

La capacidad de conversación, concentración, memoria y lectura disminuyen y, muchas veces, se vuelven casi nulas.

El pensamiento es fatigante y eso promueve la queja:

"Tengo la cabeza vacía. No puedo pensar",

suelen ser lamentaciones frecuentes.

- La falta de agilidad mental es aplastante. El sentimiento es de una pereza interminable,
- disminuye la capacidad de esfuerzo e iniciativa,
- falta de energía,
- pasividad,
- agotamiento, falta de interés y coraje.

Todos estos síntomas caracterizan esta lentitud mental y del cuerpo. La persona está dubitativa, indecisa, menos activa y con muchas dificultades para encarar cualquier cosa.

A quien está deprimido, todo lo sobrepasa y nadie puede probarle la desproporción de sus pensamientos y sus sensaciones negativas en relación con la realidad objetiva. No hay contraste posible porque lo que sucede es que hay una alteración en la apreciación del mundo y de sí mismo: **quien está deprimido tiene una imagen deformada de sí y de su entorno.**

Más precisamente: hay una distorsión negativa en la mirada que parece siempre ver a través de unos lentes muy oscuros. Nada de lo que se hace o se dice parece ser digno de valor. La tendencia a la desvalori-

EL DEPRESIVO TIENE UNA IMAGEN DISTORSIONADA DE SÍ.

zación y el autodesprecio aparecen como una ausencia de calidad moral:

"No sirvo para nada."

Esa percepción se extiende a los otros: a la vez que el depresivo se juzga mal a sí mismo, juzga equivocadamente a los demás. El sentimiento que emerge es ser una carga para los otros. La autodenigración permanente se completa así con la culpa que se siente cuando los demás se ocupan de él. Así, la culpa generalizada se convierte en autoacusación. El remordimiento, la vergüenza y el arrepentimiento se agigantan junto al desagrado por sí mismo.

La mirada retroactiva de la historia personal toma el mismo pesimismo. Se empieza a ver y a resaltar:

- lo que no se hizo,
- lo que no se pudo,
- lo que salió mal.

Quien está deprimido va construyendo un relato auto-biográfico completamente negativo, a partir de exagerar y generalizar los sucesos desagradables de su vida. Una imagen se repite: **estar encerrado en un callejón sin salida.**

Un tiempo siempre presente

Para quien está deprimido, el tiempo se estanca en el presente. Se aplana y se vuelve eterno.

El tiempo no pasa más.

Se anula completamente la visión de futuro. O aún más: el futuro es visto sólo desde un pesimismo amenazante. Ningún intento vale la pena porque se presume que todo saldrá mal. Los reproches y las decepciones aparecen permanentemente. Las reacciones ante el mundo, ante otros, revelan esta impotencia.

Si hay una presión familiar para que quien está deprimido reaccione de otro modo, la persona se sentirá invadida, mal comprendida y maltratada.

Esta sensibilidad anómala también se traslada a la percepción del propio cuerpo, que se convierte en objeto de inquietudes y obsesiones desproporcionadas. El depresivo se vuelve rápidamente hipocondríaco. Los signos del cuerpo son leídos exageradamente en su aspecto dramático y amenazante. En un punto extremo, aparece la idea suicida:

"¿Vale la pena seguir viviendo?"

La muerte se vuelve una imagen de apaciguamiento de su estado de dolor. El desco es alejar el malestar, y el suicidio brinda un fantasía de alivio. La muerte emerge como salida:

"Terminar de una vez por todas."

Pero esta idea del suicidio termina siempre con otra autoacusación: no tener coraje suficiente para suicidarse.

El suicidio, como consecuencia de la depresión, es actualmente una causa importante de mortalidad. Pero, cuando se llega al suicidio, en la gran mayoría de los casos, se debe a la falta de un diagnóstico y un tratamiento de la depresión.

El riesgo de suicidio tiende a aumentar con la ansiedad, las perturbaciones en el sueño, la desvalorización.

La situación se agrava si existió en esa persona un intento suicida anterior o esa situación se ha dado en un miembro de su familia.

Ideas falsas sobre la depresión

Una idea falsa muy frecuente es que la depresión proviene del egocentrismo, de pensar demasiado en uno mismo.

También se suele decir que es resultado de la debilidad, es decir, se le reprocha al depresivo no ser fuerte.

Por esto mismo, está asociada usualmente a la idea de

"falta de voluntad".

Sin embargo, cuando alguien se encuentra deprimido, no puede considerarse su situación como un problema de voluntad. Ésta es sólo una forma superficial de entenderlo, ya que el estado depresivo no es intencional y, por lo tanto, tampoco es remediable a fuerza de voluntad.

Por esta misma razón, una idea falsa muy corriente —especialmente en el ámbito familiar— es decir: "Es un vago", sin observar que ese desánimo no es voluntario ni intencional.

Desde otra perspectiva, se relaciona la depresión fuertemente con la idea de:

- la culpa,
- en el extremo, hay quienes atribuyen la depresión a un castigo del destino.

Las ideas falsas son muchas veces difundidas por el entorno y la familia. También por la cultura popular, ya que existe mucho desprestigio alrededor de esta enfermedad.

Ideas adecuadas sobre la depresión

Hay otras ideas que sí tienen que ver efectivamente con la depresión.

Una de ellas es el efecto negativo de lo que, a primera y simple vista, puede parecer un altruismo exacerbado: se trata de personas que depositan excesivamente su atención en los demás, que permanentemente están muy pendientes del afuera como un modo de evitarse a sí mismas. De esta manera, lo que aparece como un excesivo altruismo encubre otra cosa: la imposibilidad de conectar con el propio humor. Por lo tanto, esta situación revela que se evita el propio malestar dirigiendo la atención exclusivamente a los demás.

- La depresión puede atacar a todo el mundo, aun a los más fuertes o exitosos.

- La culpabilidad es una consecuencia de la depresión, y no su causa.
- La depresión hoy puede tratarse muy bien. El problema es cuando no se llega al diagnóstico y al tratamiento.
- No tiene nada que ver con la locura: más bien puede estar acompañada de un estado de lucidez muy fuerte.
- No es solamente un estado del espíritu: es una enfermedad que implica un desequilibrio químico y mental del cuerpo. Es decir, se trata de un malestar general.

AGENDA LLENA

LA PERSONA EVITA ESTAR A SOLAS CONSIGO MISMA O EVITA CONECTAR CON EL PROPIO HUMOR, O LA PROPIA ANGUSTIA.

Hasta el momento, está constatado que se presenta con mayor frecuencia en las mujeres, aunque no está comprobado por qué.

Un caso clínico

Gabriela, una odontóloga de 33 años, una mañana no pudo levantarse de la cama.

No tenía ganas, se sentía sin fuerzas, con la cabeza abombada. Hasta hablar se le hacía difícil. Se movía con lentitud, y su cabeza le parecía vacía.

Desde hacía algún tiempo, las cosas más simples le resultaban complicadas. Ya no disfrutaba de las actividades que antes le gustaba hacer, tales como leer, ir al cine o salir a comer.

Se sentía todo el tiempo cansada, pero llegaba la noche y apenas podía dormir. Las tareas de la casa no se realizaban y los niños estaban descuidados.

Su marido no entendía lo que le pasaba.

Al mismo tiempo, se sentía incapaz de desempeñarse en su trabajo.

Estaba completamente desvalorizada y sin esperanza.

Una definición transcultural

La depresión es una enfermedad que ha sido descrita desde siempre. Desde el relato bíblico, donde aparecen las lamentaciones de Job, hasta Hipócrates, que la describe como melancolía, es decir, como la afección que sufrimos cuando la tristeza y el miedo perseveran durante un largo período.

El concepto existe hace mucho tiempo, ya que las enfermedad mental aparece en todas las sociedades y culturas. Lo que varía en una y otra es la incidencia, la intensidad y la forma de manifestarse.

Es la psiquiatría transcultural la que nos brinda una visión antropológica del fenómeno depresivo; o sea, compara la misma enfermedad en el marco de diferentes culturas.

Su definición depende también de quien la observe.

Por ejemplo, en la cultura oriental presenta más frecuentemente síntomas somáticos.

En cambio, en la cultura occidental la forma más común de aparición es a través de síntomas psicológicos. El sentimiento de culpa es también más frecuente en Occidente.

Otras culturas presentan la depresión ligada al pensamiento mágico o de posesión.

Cuando la religión tomó el fenómeno de la depresión, especialmente durante la Edad Media, suponía que se infringía la ley del Todopoderoso, al infringirse la ley de la muerte natural.

II

La depresión como enfermedad: un enfoque reciente

Hay que considerar que recién en los últimos veinticinco años se descubrió el 90 % de lo que hoy se sabe sobre psiquiatría. Es decir, la psiquiatría es una ciencia que creció mucho en un tiempo breve y cercano.

Por ejemplo, en este lapso se descubrieron los neurotransmisores y cierta química cerebral.

De este modo, el concepto de **enfermedad** para hablar de la depresión es totalmente contemporáneo. Y por eso mismo lo más difícil es reconocer la depresión como lo que es: un trastorno neuroquímico. Si bien la depresión existió siempre, hoy es más frecuente en buena medida porque se la puede identificar y diagnosticar con mayor eficacia y rapidez.

El psiquiatra norteamericano, Jacob S. Akiskal afirmó, en abril del 2005, que en el año 2020 el primer problema de salud será la depresión.

Las múltiples causas de la depresión

La depresión no tiene una única causa, sino varias que se conjugan simultáneamente. Pero de sus diferentes composiciones e intensidades surgen distinto tipos de enfermedades depresivas. Desde los años setenta, se intentó aunar los factores:

- biológicos,
- sociales,
- psicológicos,

como **determinantes de la enfermedad**, integrando así de forma especial a la psiquiatría.

Veamos primero las múltiples causas y los factores de riesgo, para luego entender la clasificación de los diversos tipos de depresión.

• El factor de la herencia

Muchas formas de la depresión se deben a cierta predisposición transmitida familiarmente. Esto no supone una herencia forzosa, pero sí una predisposición marcada por una herencia genética. Muchas veces, esta cuestión es poco valorada, pero existen constataciones científicas que dan cuenta de la importancia del factor hereditario en la formación de cuadros depresivos.

Sin dejar de lado la relevancia de los acontecimientos de la infancia y el entorno familiar, hay que considerar cuestiones de huella genética.

• La personalidad

Hay rasgos de personalidad que actúan facilitando la depresión. Por ejemplo:

- la falta de carácter,
- la inseguridad,
- la extrema dependencia hacia los otros.

Claro que estos rasgos no promueven en sí mismos tendencias depresivas; pero, a la hora de analizar la multicausalidad de la depresión, deben tenerse en cuenta.

LA GENÉTICA FAMILIAR JUEGA UN PAPEL IMPORTANTE EN LA PREDISPOSICIÓN DEL INDIVIDUO A PADECER LA DEPRESIÓN.

• Acontecimientos de la vida

Hay acontecimientos de la vida excepcionales que pueden funcionar como desencadenantes de una depresión. Nos referimos a situaciones traumáticas tales como:

- un duelo por algún familiar,
- una separación,
- atravesar un largo período sin trabajo.

Incluso puede tratarse de algún acontecimiento que sea vivido positivamente por el entorno, pero que tenga un efecto negativo en la persona. Éste puede ser el caso de un parto.

También hay algunas enfermedades que pueden promover una depresión: cáncer, diabetes o algunas intervenciones quirúrgicas. La misma situación se presenta ante ciertas formas de ansiedad o la dependencia del alcohol, que pueden ser manifestaciones que den cuenta de una depresión.

• Factores de riesgo

Hay situaciones y factores que acrecientan la posibilidad de caer en una depresión. Son factores de riesgo a ser tenidos en cuenta en un enfoque multi-causal:

- el aislamiento social,
- la acumulación de sucesos estresantes,
- las carencias afectivas en la infancia,
- la muerte temprana de los padres.

Distintos tipos de depresión

Es más preciso, para hablar de la depresión, referirse a las "enfermedades depresivas", ya que así podemos comprender una multiplicidad de enfermedades y cuadros.

1. Según la intensidad

a. Distimia o depresión menor
Se conoce como "enfermedad del mal humor", ya que se caracteriza por la irritación, el descontento permanente y la falta de tolerancia. Según la Organización Mundial de la Salud (OMS), la padece un 3 % del pla-

ncta. Sus síntomas son entre leves y moderados y, por eso mismo, no imposibilitan desarrollar las actividades diarias y habituales. Sin embargo, este mal humor permanente hace disminuir la productividad, ante la impaciencia y la sensación de no poder lidiar con las frustraciones.

b. Episodio depresivo mayor
En estos casos, puede no encontrarse o no existir una causa aparente: el depresivo no puede rastrear la causa de su enfermedad ni ningún hecho concreto al que atribuirla. La depresión puede ser:

- leve,
- moderada,
- grave.

2. Enfermedad maníaco-depresiva o bipolar

Se trata de una constante alteración entre:

- estados depresivos y
- maníacos, de exceso.

Son estados contrarios que se alternan entre sí.
En la manía aparecen:

- Euforia anormal o excesiva.
- Irritabilidad inusual.
- Disminución de la necesidad de dormir.
- Ideas de grandeza.
- Conversación excesiva.
- Pensamientos acelerados.
- Aumento del deseo sexual.
- Energía excesivamente incrementada.
- Falta de juicio.
- Comportarse en forma inapropiada en situaciones sociales.

3. Depresión estacional

Es la que aparece en invierno, cuando la exposición a la luz disminuye.

El nombre científico es SAD, por sus siglas en inglés, y se conoce en español como TAE (Trastorno Afectivo Estacional). Aparece, sobre todo, en altas latitudes, los países nórdicos y las zonas de escasa luminosidad.

· III ·

Problemas que aparecen asociados a la depresión

La depresión suele estar acompañada de otros problemas psicológicos, tales como los trastornos de ansiedad.

Sin embargo, hay una diferencia entre ansiedad y depresión. El ansioso está preocupado por todo: trata de anticiparse catastróficamente a las dificultades y los problemas, y su estado anímico puede variar de un momento a otro. El depresivo, en cambio, tiene la certidumbre de que el futuro está cerrado.

Otros trastornos asociados son:

- las fobias,
- las obsesiones.

Los problemas de alcohol también están fuertemente vinculados a la depresión, ya que la bebida causa alivio momentáneo en el depresivo. Sin embargo, la culpa ligada a las ingesta de alcohol aumenta la depresión. El depresivo busca en el efecto químico del alcohol o la droga un alivio para su malestar psíquico y corporal, y genera así una nueva enfermedad: la dependencia al alcohol o a las drogas.

Problemas físicos. Malestar en el cuerpo

La depresión, además de aparecer asociada a distintos trastornos psicológicos, también se hace visible en el cuerpo. Es lo que se conoce como signos somáticos.

El sufrimiento psíquico se manifiesta a la vez en un sufrimiento físico en distintas partes del cuerpo. Algunos médicos hablan de "depresiones enmascaradas" para referirse a ciertos dolores corporales que encubren una depresión. Esto es común en dolencias como:

- la gastritis,
- las contracturas reiteradas,
- los mareos.

Todos estos síntomas pueden ser la manifestación de una depresión.

Cómo evoluciona

La depresión puede ser muy larga si no tiene atención médica. Puede extenderse por meses y llegar a convertirse en crónica si no se la trata de manera adecuada.

La duración se acorta con tratamiento, pero el depresivo será considerado un convaleciente.

La fase aguda es breve si está bien diagnosticada y tratada con la correcta dosis de antidepresivos. Una depresión librada al azar puede durar muchísimos meses, incluso años. Una depresión tratada empieza a mejorar en un mes.

Los tratamientos se apoyan en los medicamentos antidepresivos y, al mismo tiempo, en terapias psicológicas, es decir, en la psicoterapia. Ambos métodos suelen combinarse. De todas maneras, la depresión tiene altos y bajos permanentes.

El mínimo tiempo de tratamiento son seis meses, y el 80 % de los tratamientos son eficaces, es decir, los pacientes responden positivamente.

Las depresiones pueden reiterarse o nunca más volver a aparecer.

La química interna de la depresión. ¿Cómo funcionan los antidepresivos?

El cerebro humano está compuesto por millones de células altamente especializadas llamadas neuronas, que se encargan de procesar toda la información que llega a través del sistema nervioso y decidir la manera de responder ante las distintas situaciones. Para esto, las neuronas se comunican entre ellas por medio de impulsos eléctricos, en un proceso físico-químico llamado sinapsis.

Estas células están separadas entre sí por pequeños espacios denominados intersinápticos. Ciertas sustancias químicas se encargan de trasladar la información de una neurona a otra. Estas sustancias se llaman neurotransmisores, y de su adecuado funcionamiento depende la capacidad del cerebro de "trabajar" correctamente.

Existe un gran número de neurotransmisores; cada uno está más o menos especializado en un campo preciso. Dos de ellos juegan un papel muy importante en la depresión: la noradrenalina y, sobre todo, la serotonina.

En la depresión, se alteran los niveles de estos neurotransmisores, en particular de la serotonina, que es la sustancia que transmite la regulación del humor y del sueño.

La anhedonia, es decir, la incapacidad de disfrutar, es uno de los síntomas característicos de la depresión y se relaciona con uno de estos desequilibrios químicos.

Así como las enfermedades del organismo que se caracterizan por desbalances químicos requieren cierta medicación para normalizar los niveles de estas sustancias (por ejemplo, en el caso del hipotiroidismo, luego de su diagnóstico se debe recetar una hormona tiroidea o alguna otra medicación para compensar el desequilibrio existente), ante los desequilibrios químicos que se dan en la depresión, es necesario utilizar ciertas sustancias químicas que restablezcan el normal funcionamiento del sistema nervioso.

Es esencial que el paciente conozca el funcionamiento y el efecto equilibrante de los medicamentos, ya que, de lo contrario, es difícil sostener el tratamiento y asumir una responsabilidad con su continuidad. Al mismo tiempo, conocer estos procesos permite que el paciente entienda que los medicamentos simplemente corrigen las cantidades de sustancias ya existentes en el organismo, y de ninguna manera inducen a un estado irreal o fantasioso.

Se compara el papel del antidepresivo con un yeso, en el sentido de que ayuda a restablecer un funcionamiento que no es el correcto y normal.

Al elegir un antidepresivo, se considera si se trata de un cuadro en el que predominan:

- la inhibición (agotamiento, sueño, desgano) o
- la ansiedad.

Cada cuadro requiere psicofármacos específicos.

¿En qué caso un antidepresivo es necesario?

El tratamiento antidepresivo es necesario cada vez que la depresión:

- es intensa o
- si la persona ya pasó por otros ataques depresivos.

El médico sabe hacer las diferencias entre depresiones ligeras que no necesitan tratamiento médico y las depresiones en las que los antidepresivos son indispensables. Los antidepresivos alivian el sufrimiento (patológico), ya que actúan sobre las tristezas y las angustias que consumen todas las energías. Ayudan así a eliminar las visiones pesimistas y devuelven el gusto y la capacidad de actuar.

El rol del paciente corresponde que sea activo:

- debe confiar en el médico y
- tomar el medicamento para asegurar el resultado del tratamiento, y sólo suspenderlo con consulta profesional.

El médico no puede forzar a una persona a tomar antidepresivos, si ésta se niega; sin embargo, sí puede forzarla cuando, por causa de la depresión, la persona es capaz de poner en peligro su vida.

Al ser la depresión un trastorno habitual en la práctica clínica, los diagnósticos resultan bastante claros y universales. El diagnóstico se estructura a partir de los datos simples que se obtienen en una entrevista y luego se pasa a determinar el tipo de tratamiento.

El esquema para diagnosticar las enfermedades depresivas se realiza sobre la base de un **Sistema Internacional de Clasificación de las Enfermedades Mentales** (en inglés, DSM IV).

Esta clasificación pauta un cuadro de síntomas que ayuda a determinar la enfermedad y el nivel de intensidad.

Los beneficios de un tratamiento

El tratamiento y los medicamentos antidepresivos le permiten al paciente retomar las actividades que había abandonado y lo conducen a un cambio progresivo de humor gracias a la regulación de ciertas sustancias químicas.

Se aliviana así la carga que significa la depresión, y reaparecen la energía y el deseo.

El medicamento actúa sobre ciertas regiones del cerebro aumentando las sustancias químicas naturalmente presentes en él. Es decir, el medicamento no agrega sustancias externas, sino que recompone y regula sustancias ya existentes.

Existen efectos secundarios: los medicamentos pueden producir somnolencia, náuseas y/o sequedad en la boca, alteración en la libido.

Una perspectiva social

Hemos insistido en la importancia de un enfoque multicausal de la depresión. Sus varias dimensiones son:

- biológica,
- psicológica (la influencia de la infancia, los padres, etc.),
- social.

Usualmente no suelen abordarse de manera conjunta. Existen, por separado, las teorías

- biologicistas,
- psicologicistas,
- sociales.

En este punto, nos interesa poner de relieve el aspecto social, muchas veces dejado de lado.

¿Cuál es la influencia de la cultura actual en la depresión?

Hay trastornos sociales que influyen en lo personal de manera decisiva porque provocan trastornos en la conformación interna del individuo. Señalemos algunos:

- la cultura mediática de masas,
- la escasez de seguridades,
- la disolución de vínculos,
- valores que no son perdurables.

Cada generación debe reconocer la crisis social que le toca vivir, para poder asumir el momento histórico que habita.

Hoy, la ética y el compromiso, que daban sustento al bien común, a la vez que contribuían a la existencia de cada uno, son abandonados en nombre de un individualismo impulsivo y posesivo.

En estos tiempos, el deber lo dictaminan el periódico, la revista, el noticiero, el afiche, la publicidad, la opinión pública, la presión social. Cuando hablamos de una sociedad de masas, nos referimos a una sociedad donde lo que reina es la repetición: todos hablan de lo mismo.

El parámetro de la realidad está dado por lo que vende y lo que no vende.

La estupidez se consume en todos los mercados.

Se compran placeres, gustos y morales del tipo que se desee.

Es el mercado el que provee, a toda hora y lugar, los valores.

El contexto social actual:
el reino del *marketing*

Se habla de la era del *marketing*:

Lo que importa, antes que nada, es la imagen.

El *marketing* organiza nuestras vidas. La vida se vuelve *marketing*: se nace, se compra, se muere.

Desde los medios de comunicación se llama a este proceso "globalización". La información circula a toda velocidad y recorre el plantea en segundos. Los avances tecnológicos lo han hecho posible. Se globalizan los conflictos y se globalizan también las enfermedades.

Las patologías que aparecen en alguna parte del mundo se expanden rápidamente.

La lógica del beneficio y la ganancia impulsa una modernización veloz, exigente y excluyente.

Es en este contexto donde aparecen las enfermedades psicológicas contemporáneas, ya que el mundo actual reconfigura por completo los valores sociales.

Estos valores, a su vez, afectan a las personalidades en la medida en que cada quien los hace suyos, los personaliza.

La ética suele funcionar haciendo la correcta integración de todos los valores, más allá de la personalidad de cada uno. Pero hoy ese **equilibrio entre ética y valores personales está quebrado.**

Y esto parece deberse a un debilitamiento o, incluso, a una **desaparición** de los **valores que solían orientar conductas** y pautar acciones.

La falta de valores, como usualmente se llama, o la transmutación de lo que solían ser los valores ligados a una ética del bien común, hacen temblar el piso de nuestra cotidianidad, que debe aferrarse a una exigencia impuesta desde ese exterior que hoy se llama **mercado.**

La tiranía de lo estético-corporal

Presenciamos y sufrimos un fenómeno novedoso:

la sobrevaloración del cuerpo.

El cuerpo ya no está en relación con una espiritualidad que solía llamarse alma.

Esa espiritualidad alimentaba el cuerpo con valores, sueños, deseos, creencias, imágenes.

Hoy el cuerpo es un bien en sí mismo.

Un objeto.

Una mercancía.

La salud y la figura dan lugar a una verdadera obsesión social por el **bienestar.**

Pero se trata de un bienestar también dictaminado por el mercado. La única verdad es la que devuelve el espejo.

Esa tiranía de determinados valores estéticos y corporales va unida a otra serie de valores hoy también dominantes:

los de la ganancia.

El imperio de la lógica económico-utilitaria nos marca a todos, día a día.

Y el cuerpo no escapa de ese utilitarismo.

Hoy, la **idea de cuerpo** está asociada a la de un cuerpo en particular:

- el cuerpo joven,
- el cuerpo bello,
- el cuerpo productivo,
- el cuerpo polivalente, multifuncional.

Hoy, estamos rodeados de exigencias de movilidad y flexibilidad que sólo son soportables por un cuerpo entrenado y joven. A punto tal que se habla del "siglo de la juventud".

Pero juventud no quiere decir otra cosa que delgadez y extrema adaptación.

¿Cómo explicar esa búsqueda desesperada de juventud? ¿Por qué el miedo de envejecer?

Tal vez se quiera ser joven porque existe la fantasía de que quien es joven posee más derechos que obligaciones.

Ésta sería una clave de la época:

la des-responsabilización.

Hoy, se huye del compromiso, se escapa de cualquier tipo de obligación. No podemos entender esta des-responsabilización si no la vinculamos a la crisis de nuestra escala de valores.

Hoy, cada quien establece su propia razón, que es incompatible con la razón ajena.

No hay obligación con los otros ni responsabilidad social.

Ese cuerpo rápido y flexible no tiene tiempo más que para sí mismo. No hay espacio —ni físico ni mental— para los otros.

La otra cara de la libertad individual extrema es la crisis feroz del lazo social.

Y esta crisis da lugar a otra: la crisis de identidad. La desorientación general produce miedo y angustia. Y no hay a quién o a qué recurrir.

Antes se creía en el Todopoderoso o en una razón universal. La angustia encontraba consuelo en la creencia. Hoy la existencia parece no hallar fundamentos más que en lograr un cuerpo acorde con las exigencia de la moda y en tener éxito en esa carrera de todos contra todos, en la que se ha convertido la vida posmoderna.

El consumo a toda hora y lugar

La única convicción actual es la de consumir.

Hoy los medios se convierten en fines en sí mismos, y el consumo —su cantidad y frecuencia— es lo que regula la sociedad.

Observemos por un momento el fenómeno de los teléfonos celulares: más que para facilitar la comunicación entre las personas, funcionan como objetos de valor y productos que se justifican por sí mismos.

Aparece así una nueva forma de esclavitud que brota de este consumismo que la posmodernidad estimula permanentemente. Asistimos a una paradoja dramática de la actualidad: mientras el progreso material del mundo aumenta, la pobreza y la impotencia se generalizan.

Personalidad débil y competitiva

Dicen algunos filósofos que hoy se impulsa socialmente una personalidad "estúpida".

La necesidad de desarrollar el propio yo corporal es el imperativo máximo de nuestros días, y se organizan a su alrededor:

- una idea de cuerpo,
- una idea de salud,
- una idea de éxito,
- una exigencia de progreso.

Estas características perfilan una idea de la **supervivencia individual.**

La educación, en este sentido, también ha decaído en su antigua función de socializar en los valores del bien común y de ayudar en el proceso de formación de la personalidad.

El mismo desplazamiento han sufrido la **familia y la actividad cultural,** que ya no tienen la influencia de otros tiempo.

La **presión de lo social,** las **exigencias de todo tipo** y la **realidad alterada de la familia** son aspectos fundamentales en la conformación de la identidad, ya que condicionan al individuo, más allá de la conformación genética y psicológica.

En este sentido, es fundamental incluir este examen de lo social-cultural para entender toda enfermedad.

Cualquier trastorno o patología tiene una textura social y una trama cultural. Esta impronta de la época es imborrable y nos ayuda a comprender las manifestaciones específicas de la enfermedad.

Depresión y exigencias sociales

El paciente depresivo piensa que todo lo hace mal. Se mide con las fuertes exigencias que impone la época.

Su escala de valores y su patrón de éxito o fracaso provienen de la cultura contemporánca consumista.

En este sentido, esta época favorece la desvalorización porque desarrolla exigencias individuales muy altas.

El depresivo se mira a sí mismo en función de lo que debería ser.

Y, por lo mismo, es incapaz de valorar lo que es.

Ese **deber ser** que lo desanima está modelado por la sociedad que habita.

La sociedad actual no colabora en que el sujeto se sienta contenido por otros valores, sino que ratifica los síntomas de la depresión debido a la competencia social que estimula. No hay basamentos de valores internos que pongan límite a las exigencias de la sociedad.

· V ·

Calidad de vida

La depresión se detecta por una serie de síntomas que el paciente transmite a su médico, y con esa información el profesional logra diagnosticar. A partir de diferentes aspectos, se ha elaborado un índice de calidad de vida.

Ese índice de calidad de vida incluye cuatro subescalas:

1. complejo de síntomas o problemas,
2. movilidad corporal,
3. actividad física,
4. actividad social.

En lo que se refiere a calidad de vida, deben hacerse una serie de valoraciones:

- bienestar,
- satisfacción subjetiva,
- desempeño de roles sociales,
- condiciones externas de vida (condiciones materiales que definen el nivel de vida y condiciones sociales que dan una red de apoyo social).

Existen suficientes pruebas que señalan que tanto la depresión aguda como la crónica se asocian a la disfunción social en el sentido de que minan la interacción social, ya que el depresivo **no tolera la crítica** y termina produciendo el rechazo de los demás.

Según Norman Sartorius, una sociedad civilizada debe ayudar a sus miembros enfermos, angustiados o en desventaja. El concepto de la calidad de vida eleva el nivel de equidad social. Es imperioso pensar en estrategias que capaciten a los pacientes para encarar una vida decente, incluso a pesar de sus enfermedades crónicas. El éxito de estas estrategias debe ser medido en la calidad de vida.

Distintos estudios sostienen que el bienestar y la calidad de vida de la persona se reducen cuando hay depresión.

Bienestar, en este sentido, significa crecimiento personal, propósito de vida, dominio del entorno y autonomía, relaciones positivas con los demás y autoaceptación.

Una persona que toma antidepresivos, y que está bien medicada y controlada, recupera su calidad de vida.

La normalización química se traduce inmediatamente en calidad de vida.

Una persona deprimida y no tratada pierde su bienestar.

Una depresión sin tratamiento corre el riesgo de no curarse o de reincidir.

Calmar la depresión no es algo fácil pero, en general, los resultados son satisfactorios para la gran mayoría de los pacientes. Los cambios empiezan a aparecer después de un mes. El tratamiento de la depresión se apoya, por una parte, en los **medicamentos antidepresivos**, que tienen dos propósitos:

- ofrecen alivio a la falta de interés y a todo el malestar físico asociado con la depresión;
- posibilitan que los pacientes aprovechen las ayudas disponibles —como los grupos de apoyo o la psicoterapia— y así disfrutar de sus mejorías para reconstruir sus vidas.

Además se han mostrado efectivas:

- La psicoterapia interpersonal (TIP), creada por G. Klerman y M. Wissman. Es una terapia estructurada paso a paso. Enfoca temas interpersonales.
- La terapia cognitiva.

Ambas formas de terapia son concebidas como terapias breves.

La psicoterapia puede ayudar a las personas a recuperar y reorganizar su vida, y a crear una visión más exacta del mundo exterior, como así también una perspectiva más positiva de su propio potencial.

Recuperación y recaída

El alivio de la depresión representa un cambio importante en la vida de la persona: un cambio en términos de calidad de vida.

Los instrumentos desarrollados en los últimos tiempos para mejorar la calidad de vida hacen hincapié en el bienestar psicológico y en la capacidad subjetiva de desarrollar la vida. Esto se vuelve difícil cuando recae sobre el depresivo un estigma debido a su padecimiento.

Las incapacidades que genera la depresión, junto con las reacciones de sus semejantes, los prejuicios sociales, la falta de información y las afirmaciones equívocas, repercuten negativamente sobre la calidad de vida.

De este modo, los pacientes sufren no sólo por su trastorno mental sino también por las consecuencias de:

- la estigmatización,
- su sufrimiento y el daño a su identidad.

Cuando se logra recuperar la calidad de vida con un tratamiento, se generan preguntas profundas:

"¿Dónde he estado?"
"¿Hacia dónde voy?"
"Me siento mejor ahora. ¿Significa que he estado deprimido toda mi vida?"

"¿Qué puedo hacer frente a las oportunidades perdidas?"

"¿Cómo planear el futuro si tengo miedo de recaer?"

Éstas son preguntas que surgen frecuentemente durante el tratamiento de rehabilitación.

Planear el futuro y revaluar el pasado se vuelven menos atemorizantes cuando el paciente se da cuenta de que está reconstruyendo su vida sobre cimientos más fuertes.

El temor a una recaída desaparecerá si sigue el tratamiento médico.

Así podrá planear el futuro y un estilo de vida que siempre quiso. Muchas veces, el descubrimiento de los síntomas puede darse tardíamente, pero lo importante es el diagnóstico y el tratamiento, que permiten concentrar la propia mirada en el futuro y reconsiderar el pasado con una luz diferente.

La preocupación, entonces, se trasladará a cómo evitar el proceso de recaída, debido a que es concreta y agradable la sensación de sentirse bien. Y, aunque muchas veces no se quiere ni siquiera recordar la depresión que se atravesó, el tratamiento le confiere a la persona en recuperación las armas suficientes para reconocer los síntomas que indican una nueva posibilidad de recaída.

Las recaídas pueden deberse a:

- una disminución prematura de la dosis o
- una suspensión del medicamento.

Es común la idea de que, cuando se está bien, no hace falta seguir tomando el medicamento.

Sin embargo, se debe continuar con el tratamiento para evitar recaídas.

Por esto, muchos médicos recomiendan mantener la medicación entre cuatro y nueve meses después de que hayan desaparecido los síntomas. Porque de lo que se trata es de mejorar cierto funcionamiento en el cerebro.

Al retirar la medicación, la pregunta es: ¿aprendió el cerebro a funcionar mejor o aún es necesario seguir medicando?

Las particularidades varían según cada paciente:

- hay quienes sufren un único episodio de depresión en su vida;
- hay quienes enfrentan regulares recaídas.

Pero, cuando el paciente conoce los síntomas y sabe a quién recurrir, es menos costoso afrontar estas reiteraciones.

Para quienes han sufrido más de dos episodios depresivos, se puede requerir una terapia de mantenimiento más prolongado. Después de dos recaídas, se indica la medicación de por vida.

Es interesante mencionar que las recaídas —e incluso las internaciones— tienden a aumentar en otoño y en primavera. Esto se relaciona con los cambios en la intensidad de la luz.

El estrés: una presión cotidiana

Mientras se desarrolla el tratamiento de los síntomas de la depresión, el paciente se enfrenta con las presiones de la rutina (trabajo, familia, etc.) y con otras presiones extraordinarias (como sufrimientos y tristezas por pérdidas y desilusiones).

Sin embargo, es importante diferenciar el estrés y las presiones que lo producen, de síntomas más graves.

El estrés puede acontecer previamente al cuadro depresivo y también es un riesgo una vez que se termina el tratamiento contra la depresión.

El estrés forma parte de la vida cotidiana acorde con la época actual y constituye hoy un problema grave para una de cada veinte personas. El estrés provoca miedo y nos hace sentir incompetentes.

Define un estado en el cual nos sentimos incapaces de afrontar las exigencias de nuestra vida cotidiana.

La ansiedad es algo que todos hemos sentido frente a una situación de peligro.

En ella se fomenta la producción de adrenalina para poder rendir al máximo.

El estrés puede ser:

- interno,
- externo.

El **externo** se da, por ejemplo, en caso de un accidente.

El estrés **interno** sería provocado, en cambio, por los pensamientos negativos reiterados.

El estrés hace que el cerebro reaccione instintivamente (sistema límbico) y el cuerpo se ponga alerta.

Son todos fenómenos físicos, en los que actúan los sistemas **simpático y parasimpático**.

Se dilatan las pupilas, se acelera el pulso, se transpira, se comprimen los intestinos y los riñones, por lo cual la persona siente deseos de orinar, para así eliminar sustancias.

El estrés es una respuesta primitiva que proviene de la respuesta humana ante el peligro. En esas circunstancias, siempre emergen dos opciones: la **lucha o la huida**.

La reacción por la que llegamos a ellas consta de cuatro momentos:

- sucede algo;
- el cuerpo responde;
- el miedo que emerge es una respuesta del cerebro que provoca las demás reacciones;
- la mente se pone alerta, y se tensan los músculos y la columna vertebral; el cuerpo se predispone para actuar rápidamente. Las funciones se alteran para evitar la amenaza.

¿Qué pasa con toda esta sintomatología? Se marca una reacción de lucha o huida ante una situación estresante. Junto con el aumento de adrenalina, aumenta el **cortisol**, que es una hormona que aparece después de la situación de estrés.

Cuanto más **aumenta el cortisol, más se altera el eje endocrinológico,** lo que desequilibra aún más el sistema nervioso.

El estrés crea así un círculo vicioso, de modo que es difícil afrontarlo y minimizarlo.

Estas reacciones pueden contenerse con medicamentos. Pero también se las puede manejar con **relajación corporal**. Por ejemplo, con ejercicios de respiración abdominal.

Se trata de actuar antes de que se llegue al fenómeno de desencadenamiento químico, es decir, al desajuste físico. Ésta es la estrategia propia de la medicina oriental. De hecho, es importante entender que el tronco cerebral responde a lo que sucede en el cuerpo, y podemos aprender a tranquilizar el tronco cerebral para controlar el estrés a través del ejercicio de yoga o la respiración controlada.

Uno de los síntomas más evidentes del estrés son las **manos frías y sudorosas**.

Las personas estresadas se sientan al borde de la silla y hablan con voz aguda, no escuchan a su interlocutor y siguen pensando en sus preocupaciones y problemas. Se pierden el apetito, la fuerza, la concentración, y aparece la rabia contenida, como así también los trastornos del sueño.

Los cambios en las hormonas y otras sustancias que produce el cuerpo pueden hacernos más **vulne-**

rables al estrés. Dos ejemplos de esta situación de mayor sensibilidad pueden ser la **tensión premenstrual** y el **síndrome posmenopáusico**.

Se suele denominar al estrés la enfermedad de la prisa o del apuro. Las personas muy emprendedoras y estresadas muestran frecuentemente un comportamiento dominado por el hecho de estar siempre apuradas y hacer varias cosas al mismo tiempo. Ciertamente existen temperamentos más propensos al estrés. Las personalidades competitivas y exigentes son más proclives a padecer la **enfermedad del apuro**. Lo mismo sucede con los individuos perfeccionistas y estrictos, así como los que valoran por demás la moral y el estatus.

En este sentido, puede trazarse un simple **plan de autoayuda** para combatir el estrés de todos los días:

- tratar de sostener pensamientos positivos,
- mantenerse firme ante la presión de los demás,
- examinar sus causas,
- mejorar el estilo de vida,
- estimular la risa como mejor medicamento,

- organizar el tiempo de tal modo que se disponga de descansos y tiempos de placer cada día.

Al mismo tiempo, hay técnicas que todos pueden aprender y aplicar, y que tienen profundas consecuencias positivas para el cuerpo, tales como:

- la relajación muscular,
- la respiración controlada.

Hay también una serie de **métodos alternativos** para el control del estrés:

- El método conocido como *biofeedback* (colocando electrodos en el cuerpo, se verifica en un aparato el momento en que se tensiona la persona, tomando conciencia y aprendiendo a relajarse).
- También el yoga, la meditación, el masaje, la acupuntura, la elongación, etcétera.

Son todos recursos físicos que ayudan a mejorar el proceso de estrés antes de que se convierta en patología y que se tenga que recurrir a la medicación.

Hospitalización vs. psiquiatría comunitaria

Cuando se observan riesgos suicidas en el paciente —es decir, que se pasa de la idea suicida al plan concreto—, se toma la decisión de internar. El plazo puede ser entre uno o dos meses.

Las largas opciones de internación ya no son habituales. Correspondían a una época en la que el encierro del enfermo aparecía como la única solución a su padecimiento.

Luego, se comprobó que los pacientes se complicaban más aún al quedar aislados por la enfermedad. Y también sufría la familia. Aparecía así una patología propia del encierro.

Contra esta situación, surgió el fenómeno de la "desmanicomialización" en Europa y en otros países. Este proceso fue acompañado conjuntamente por el desarrollo de la psicofarmacología y la psiquiatría comunitaria.

Hoy, la psicofarmacología, con abordajes diferentes, permiten dejar de lado la **hospitalización** como opción ante el enfermo crónico, y ésta sólo queda para el **momento agudo**.

Lo importante, como **primer paso**, es el **diagnóstico**.

Es un derecho del paciente conocer su enfermedad, saber en qué consiste el tratamiento y cuáles son las alternativas posibles.

El concepto es que actualmente, en el mundo desarrollado, no hace falta más de un mes de internación. Este plazo tiene un objetivo delimitado: esperar el efecto del medicamento, para evitar el riesgo suicida.

Sin embargo, no puede dejar de considerarse que, a la hora de evaluar estos temas, hay una gran diferencia entre el primer y el tercer mundo. En los países desarrollados, la presencia del Estado se traduce en ayuda social y contención familiar, dos aspectos que dan mayor fuerza y presencia a la psiquiatría comunitaria.

La **rehabilitación psicosocial** es un proceso que permite a todos aquellos que sufren una enfermedad mental conseguir un escalón de independencia de funcionamiento.

Esto es posible en centros que funcionan como una alternativa a los hospitales psiquiátricos y tienen por objetivo proporcionar a las personas con trastornos mentales graves atención local y, al mismo tiempo, encargarse de un seguimiento del paciente. En particular, esta ayuda se concentra en:

- farmacoterapia,
- tratamiento psicológico,
- actividades de rehabilitación social.

Con estos cambios, también ha variado el rol de la familia, que hoy es quien se encarga de los cuidados fundamentales del depresivo. A diferencia del pasado, la **familia** ya no es pensada como única causante de la enfermedad.

Debido a este nuevo lugar social, la familia requiere profesionales que le expliquen y aconsejen, por ejemplo, cómo manejar los síntomas de su integrante deprimido.

A la familia, entonces, se le asignan en la actualidad las funciones de cuidadora y sostenedora, lo cual siempre tiene mayor efecto cuando ésta puede apoyarse en un servicio de psiquiatría comunitaria, que le proporciona los medios para realizar esta labor.

Es importante señalar que se abre para la familia una situación compleja, debido a los múltiples impactos que se generan en su interior:

- desde la aparición de sensaciones de culpabilidad (en especial en el cónyuge),
- al estrés que padecen los hijos por la falta de alguna de las figuras centrales.

No es menor la problemática económica si el depresivo es el sostén familiar.

Consejos al entorno

Cuando se atraviesa un período de depresión, lo ideal es que el entorno promueva encuentros amables. Pa-

ra el depresivo, el solo hecho de encontrar un interlocutor cordial, que le brinde otra perspectiva a sus
problemas, puede resultar muy útil.

Por esto mismo, una estrategia para sentirse bien
es destinar algunos momentos, cada día, para realizar
actividades placenteras. Hacerse el tiempo para escu-
char música, leer un libro, ir a caminar, ver películas
o estar con amigos es una ayuda a la construcción de
un bienestar sostenido.

Para las personas que se estén recuperando de la
depresión, es conveniente mantener un peso adecuado. Los científicos no han determinado aún una dieta para personas depresivas; sin embargo, se reco-
mienda comer sana y equilibradamente. La dosis de
vitaminas, las dietas macrobióticas y los remedios
homeopáticos no han demostrado ejercer ningún
efecto sobre el curso del estado de ánimo, pero sí se
ha demostrado que una caminata corta puede ser un
recurso casi mágico para mejorar el estado anímico y
para aliviar la ansiedad en épocas de estrés.

Aun pocas cantidades de ejercicio físico producen la liberación de endorfinas, sustancias químicas
que se producen de forma natural en el cerebro y nos
ayudan a sentirnos bien.

De hecho, las personas que realizan ejercicio físico regularmente responden mejor a los antidepresivos que quienes no tienen ese hábito. En términos generales, todo aquello que apunta a la cuestión de estar y sentirse saludable aporta al proceso integral de rehabilitación.

Una ecuación saludable podría resumirse así:

- ejercicio,
- dieta apropiada,
- sueño adecuado,
- técnicas de reducción del estrés,
- continuación de la medicación.

Es notable que también existe una relación entre la depresión y algunas enfermedades endocrinológicas (tiroides, inflamaciones crónicas, trastornos inmunitarios).

La psico-neuro-inmuno-endocrinología es una disciplina que estudia esta serie de conexiones.

¿Qué es la terapia cognitiva?

La terapia cognitiva es un **abordaje psicoterapéutico específico** para la depresión.

Se basa en el trabajo sobre los pensamientos y las cogniciones que hacen sufrir al depresivo.

El objetivo de la terapia cognitiva es **modificar una determinada forma de entender la realidad**.

La terapia cognitiva parte del supuesto de que, ante una situación de la realidad, emerge un pensamiento sobre ésta, y luego una actitud y una emoción sobre la base de ese pensamiento. De modo que un pensamiento u otro traen consecuencias distintas sobre una misma realidad.

A esto se debe la posibilidad de poder trabajar con esos pensamientos y cambiarlos para que el depresivo pueda liberarse progresivamente de los que lo afectan negativamente.

La terapia cognitiva trabaja con el **aquí y el ahora**.

La terapia cognitiva busca **transformar el modo en que la persona construye su pensamiento, su** percepción de la situación, para que luego se modifique el accionar.

Esta técnica hace que el paciente trabaje intensamente sobre sí mismo.

Por ejemplo, se utiliza mucho la escritura, ya que se le hace escribir al paciente lo que piensa ante distintas situaciones, para luego analizar y contrastar sus textos con los hechos de la realidad, e incluso con los diferentes momentos anímicos del día. Esta tarea de auto-registro del paciente, de sus propias percepciones, se vuelve fundamental para transformar los pensamientos y sus efectos concretos.

Hay un ejercicio que se denomina "del dominio y del agrado", que se basa en relatar cuáles son las cosas que podemos realizar y las que nos agradan, puntuando entre 1 y 10; para empezar a trabajar y cambiar algunos pensamientos, ya que los pensamientos automáticos constituyen verdaderos mitos internos que cada uno tiene y de los cuales no nos damos cuenta.

Hay que aprender a detectarlos para luego desmoronarlos intelectualmente.

Este proceso es viable cuando el paciente ha dejado atrás su momento más crítico.

Busca modificar las propias concepciones con que se entiende la realidad.

La terapia cognitiva surge en Estados Unidos con el psiquiatra doctor Aaron T. Beck.

Albert Ellis es el autor de el ejemplo del "A, B y C" de la terapia cognitiva:

- "A" es el hecho o la situación.
- "B" es el pensamiento que surge del hecho.
- "C" es la acción o la conducta.

La terapia cognitiva trabaja sobre el pensamiento (B) para que se modifique el acto (C).

Según Ellis, cada uno puede controlar hasta cierto punto su destino emocional.

Un ejemplo del A-B-C de Ellis:

Usted quiere un trabajo, pero no pasa la entrevista.

- A: es el acontecimiento "no pasé la entrevista".
- B: es el pensamiento que surge:
  - Opción 1: "Puedo soportarlo aunque me da bronca" > enojo.

- Opción 2: "No podré soportarlo, no valgo, nunca conseguiré algo" > depresión.
- C:
  - Opción 1: una pequeña frustración.
  - Opción 2: una depresión.

Vemos dos formas de pensamientos distintas que provocan consecuencias diferentes.

• VII •

Consejos prácticos

- Comunique bien sus emociones.
- Exprese claramente sus necesidades.
- Aproveche los buenos momentos.
- Tome distancia de sus pensamientos negativos: "¿Cómo será esto dentro de algún tiempo?"
- Frecuente a amigos optimistas.
- Aprenda de ellos. Obsérvelos. ¿Qué hacen para tomar más distancia de sus dificultades?
- Adopte costumbres saludables:
  - Haga actividad física como mínimo dos veces por semana.
  - Evite el alcohol y el tabaco.

- Dedique un lugar en su agenda semanal para ocuparse sólo de usted; practique una actividad que le aporte placer: deporte, música, pintura, baile, etcétera.
- Cuide la red de amigos y parientes.
- Participe de actividades sociales, religiosas, comunitarias.
- Lea, infórmese sobre la depresión; cuanto más sepa, más comprenderá sobre sí mismo (libros, Internet, etcétera).
- Escriba un diario; escribir es una manera de poner distancia con los pensamientos, utilícelo.
- Organice su agenda, planifique su semana; no sólo llena de obligaciones: agende todo lo que tiene que ver con su vida. Agende cosas placenteras cada semana.
- Viva en relación con la década que está transitando.

Éste es un trabajo del 2006, siga leyendo actualizaciones al respecto, ya que hay varias líneas nuevas de investigación (antidepresivos, terapia génica, etc.) que van a traer otras alternativas al interrogante qué es la depresión y cómo tratarla.

• VIII •

Anexo

Aprenda a hacer un registro de humor.

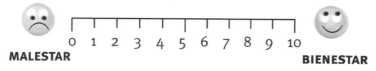

Evalúe su humor diariamente, aprenda a usar un puntaje y agréguelo a su agenda diaria.

REGISTRO DIARIO DEL ESTADO DE ÁNIMO POR HORA

MALESTAR 0 1 2 3 4 5 6 7 8 9 10 BIENESTAR

	LUNES	MARTES	MIÉRCOLES	JUEVES	VIERNES	SÁBADO	DOMINGO
08.00	levantarse 5						
09.00	ducha 6						
10.00	trabajo 5						
11.00							
12.00							
13.00							

14.00	15.00	16.00	17.00	18.00	19.00	20.00

REGISTRO DEL ESTADO DE ÁNIMO POR DÍA

BIENESTAR

MALESTAR

	1	2	3	4	5	6	7	8	9	10	11	12	13	14	15	16	17	18	19	20	21	22	23	24	25	26	27	28	29	30	31
ENE																															
FEB																															
MAR																															
ABR																															
MAY																															
JUN																															

JUL	AGO	SEP	OCT	NOV	DIC

• IX •

Bibliografía

AMERICAN PSYCHIATRIC ASSOCIATION (1995): *DSM IV*, Washington, Masson.

BARYLKO, Jaime (1998): *Ética para argentinos*, Buenos Aires, Aguilar.

CHINCHILLA MORENO, Alfonso (1997): *Tratamiento de las depresiones*, Barcelona, Masson.

Encyclopedie Medico-chirurgicale. Psiquiatria (2002), París, Editiones Scientifiques et medicals Elservier.

FREEMAN, Alan y REINECKE, M. A. (1995): *Terapia cognitiva aplicada a la conducta suicida*, Bilbao, Desclee de Brouwer.

FREEMAN, Hugh; KATSCHNIG, Heinz, y SARTORIUS, Norman (2000): *Calidad de vida en los trastornos mentales*, Barcelona, Masson.

KAPLAN, Harold y SADOCK, Benjamin (1997): *Tratado de psiquiatría-VI*, vol. 1, Buenos Aires, Intermédica.

SCHRAMM, Elizabeth (1998): *Psicoterapia interpersonal*, Barcelona, Masson.

Artículos

American Journal of Psychiatry (2005): "Quality of life impairment in depressive and anxiety disorders", junio, 162 869, pp. 1171-1178.

Jano On Line (2005): "La depresión será la segunda patología más prevalente por detrás de las enfermedades coronarias en 15 años", mayo.

KUHENER, Christine y BUERGER, Christine (2005): "Determinants of subjective quality of life in depressed patients. The role of self esteem. Responses, styles and social support", *J. Affect. Disord.*, junio, pp. 205-213.

LEE, Lisa; HARKNESS, Kate; SABAGH, Mark A., y JACOBSON, Jill A. (2005): "Mental state decoding abilities in clinical depression", *J. Affect. Disord.*, junio, pp. 247-258.

Rehabilitación Psicosocial (2004): "Aplicación de un programa de habilidades de autonomía personal y sociales para mejorar la calidad de vida y autodeterminación de personas con enfermedad mental grave", diciembre, pp. 47-55.

"Ritmos", de Pfiezer.

Stimulus Santé et Lab. Lilly, (1997): "Vaincre la depression."

Se terminó de imprimir en el mes de junio de 2009 en el Establecimiento Gráfico LIBRIS S. R. L.
MENDOZA 1523 • (B1824FJI) LANÚS OESTE • BUENOS AIRES • REPÚBLICA ARGENTINA